Chers lecteurs et lectrices,
Je suis heureux d'annoncer que dorénavant Mélanie Watt n'écrira et n'illustrera plus de livres pour enfants! Ceci en raison d'un mal de dents et de quelques difficultés techniques. **Alors je suis très heureux de prendre sa place!** C.

N.B. J'ai caché tous ses outils, ses pinceaux, ses peintures et sa souris d'ordinateur.

Auteur célèbre

Mélanie Watt n'a pas écrit ce livre

Chester, comme je suis soulagée que tu me remplaces! Tu as BEAUCOUP plus de talent que moi!!!

Chester, qu'est-ce que tu racontes? Mes dents vont très bien! Où sont mes outils? Où est ma souris? M.W.

Tu sais que je ne parle pas de cette souris-là!

Elle est ici →

Ce livre est dédié à tous les CHATS et à tous MES ADMIRATEURS partout dans le monde!!!

De plus, j'aimerais remercier chose-binouche d'avoir laissé traîner tous ses outils de travail. Enfin, j'aimerais remercier MOI (Chester), car j'ai été assez brillant pour cacher sa souris d'ordinateur (qui, en passant, goûte la semelle de bottes).

Les illustrations INCROYABLES ont été réalisées par CHESTER avec un marqueur rouge ainsi que des bouts de papier et du ruban adhésif trouvés dans le studio de Mélanie.

LA PHOTO A AUSSI ÉTÉ PRISE PAR CHESTER.

MISE EN PAGE DE CHESTER

Édition publiée par les Éditions Scholastic, 604, rue King Ouest, Toronto (Ontario) M5V 1E1, avec la permission de Kids Can Press Ltd.

Catalogage avant publication de Bibliothèque et Archives Canada

Watt, Mélanie, 1975-

[Chester's masterpiece. Français]
Le chef-d'oeuvre de Chester / Mélanie Watt.

Traduction de: Chester's masterpiece.

Pour les 3-8 ans.

ISBN 978-1-4431-0145-5

I. Titre. II. Titre: Chester's masterpiece. Français.

PS8645.A884C45314 2010   jC813'.6   C2009-905660-7

5 4 3 2 1   Imprimé à Singapour CP130   10 11 12 13 14

SOUS LA SUPERVISION DE CHESTER

Lecteurs et lectrices, êtes-vous prêts à lire l'histoire la plus ORIGINALE de vos 9 vies?

Tournez la page, on commence...

Et puis...

cette page est

vide!

PAS D'ACCORD!

C'est moi le chef, et je peux choisir MES PROPRES ingrédients...

FARINE
(toute bonne recette en contient)

PIZZA
(pour la couleur)

SUCRE
(pour une fin de bon goût)

NOURRITURE POUR CHATS
(pour le croquant)

BONBONS À GÂTEAUX
(pour le brillant)

VERS DE TERRE EN JUJUBES
(pour faire rire)

ÉPICES
(pour le piquant)

et...
SANS FROMAGE
(pour éviter d'attirer les souris)

Je ne parlais pas de nourriture! Et en passant, la pizza, ce n'est pas un ingrédient!

Comédie?

Action?

Suspense?

Horreur?

Drame?

Science-
fiction?

Romantique?

Au fait, ton histoire
se déroule où au juste?
Vite, donne-moi
mes pinceaux et
je vais te peindre
un décor.

Pas de chance!

Je te vois venir!
Je peux dessiner
mon décor moi-même,
merci beaucoup.

La jungle de Chester

Parfait Chester.
Je voulais seulement
t'aider.

Tu sais, je peux très
bien illustrer avec
un crayon à mine.

Je le croirai
quand je le verrai!

La jungle
de
Mélanie

C'est MON LIVRE!

ET je peux dessiner sur toutes les pages en inventant mes propres histoires!

Je peux écrire à l'envers.

Je peux barbouiller et personne ne peut m'arrêter!!! Oh oh.

Gloup!

Snif! Snif! Je ne trouve pas mes choses!

CHESTER est intelligent 2+2=4